A mis padres. A Marta.
J. C.

Segundo Premio del VI Certamen Internacional de
Álbum Ilustrado «Ciudad de Alicante», 2006

Primera edición, noviembre 2006

© Del texto: Daniel Nesquens, 2006
© De las ilustraciones: Jesús Cisneros, 2006
© De esta edición: Grupo Anaya, S. A., 2006
Juan Ignacio Luca de Tena, 15. 28027 Madrid
www.anayainfantilyjuvenil.com
e-mail: anayainfantilyjuvenil@anaya.es

ISBN: 84-667-5371-0
Depósito legal: Bi. 26.07/2006

Impreso en GRAFO, S. A.
Avda. Cervantes, 51 (DENAC)
48970 Ariz-Basauri (Vizcaya)
Impreso en España - Printed in Spain

Las normas ortográficas seguidas en este libro son las establecidas por la
Real Academia Española en su última edición de la *Ortografía*, del año 1999.

EXCMO. AYUNTAMIENTO DE ALICANTE
PATRONATO MUNICIPAL DE CULTURA

ANAYA

Daniel Nesquens

Papá tenía un sombrero

Ilustraciones de
Jesús Cisneros

LOS ÁLBUMES DE
SOPA DE LIBROS

Papá tenía un sombrero. Del sombrero sacaba de todo.

Una mañana de enero, un ramo de flores salió de su interior; mamá cumplía años.

—Papá, me gustaría jugar con un oso —le dije
un sábado nada más despertarme.
—¿Un oso pardo, negro, polar, un oso panda…?
—Un oso nada soso. Y que no se enfade mucho.

CIRCUS

Metió la mano en el sombrero y apareció el oso.
—¿Y ahora qué nombre le pongo?

—Espera un momento… —metió la mano dentro—. Ya está.
—Cro… can… ti —leí—. Qué nombre tan bonito. Me gusta.

—Papá, Crocanti dice que quiere jugar al tenis.
—¿Y?
—Pues que no tiene raqueta.

Papá metió la mano en el sombrero y sacó una pelota,
una raqueta y una red...
Y a un señor muy serio que decía:
—¡¡Nooooo!!

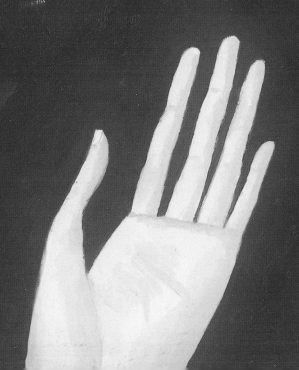

El sombrero se llamaba Manuel.
Había trabajado hacía tiempo con un fotógrafo ambulante,
y también en un circo.

En aquel circo conoció a míster Bird, un señor
que subía a la Luna de un salto.
　　Cuando se quedaba solo, Manuel jugaba a saltar,
como míster Bird. Lo sé porque una noche lo vi saltando
desde mi armario.

Una mañana de mucho calor, papá nos llamó a todos.
—Y ahora mirad —dijo.
Metió la mano y sacó un coche.
Nos subimos en él y nos fuimos a la playa.
—¡El faro! —señaló mamá.

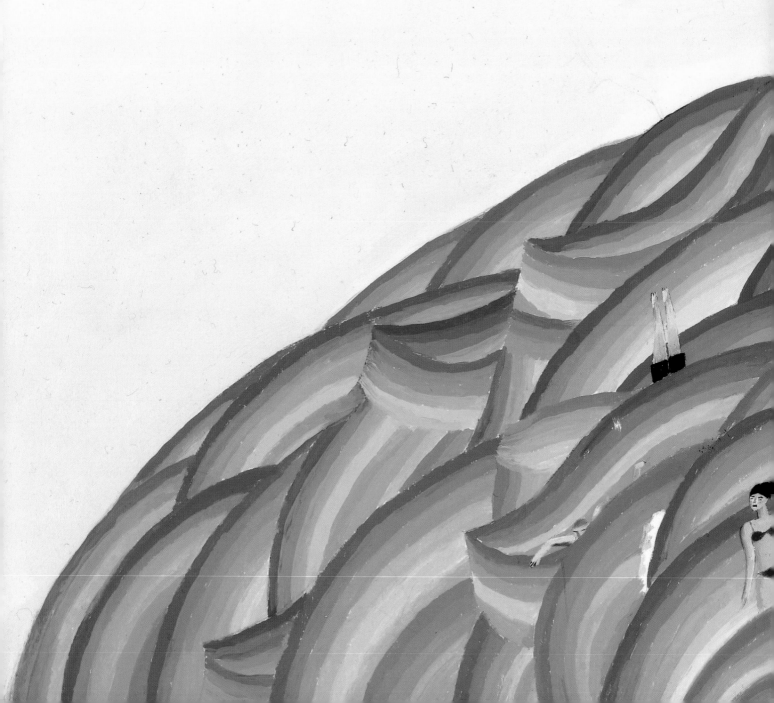

Cuando Crocanti abrió la ventana, olía a mar.
—¡No abras la venta...! —gritó papá, pero ya
era demasiado tarde.

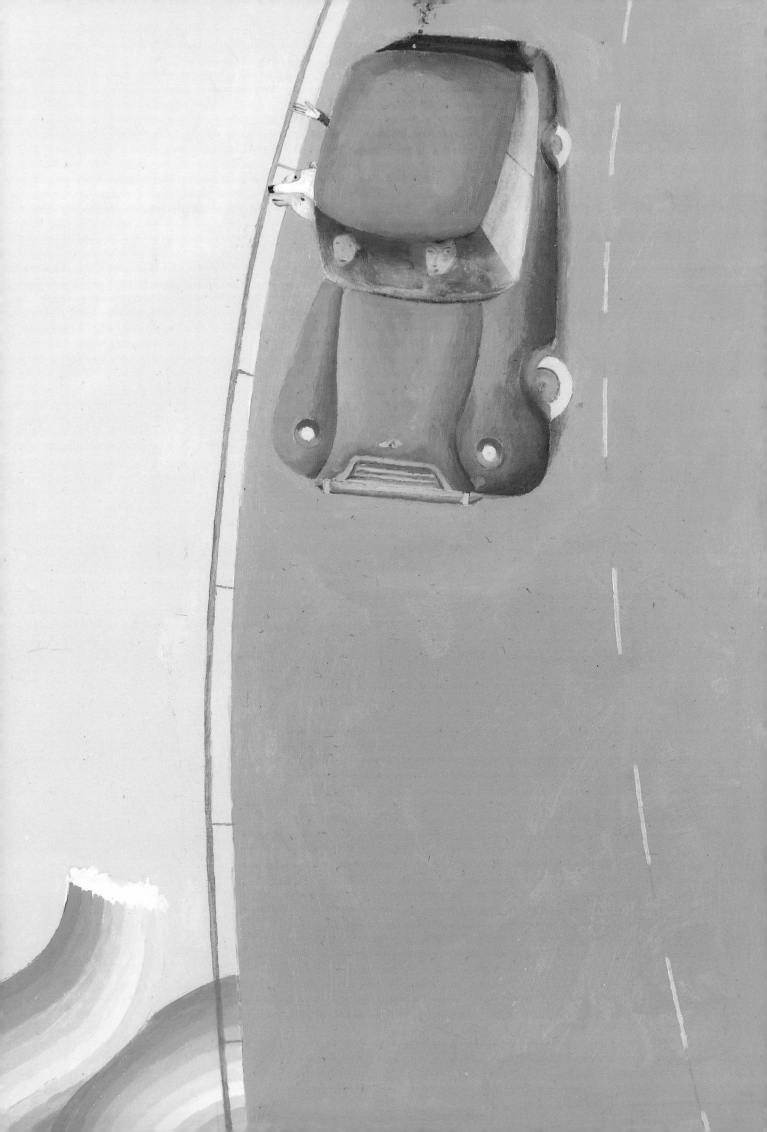

Manuel se coló por ella y desapareció. Voló.
Papá detuvo el coche a un lado de la carretera.
Bajamos.
—¡Manuel! —gritó papá.
—¡Manuel! —gritó mamá.
—¡Señor Manuel! —gritó Crocanti.
—¡Mirad! —dije yo.

Un millón de cosas empezaron a caer sobre nuestras cabezas: pétalos de rosas, gominolas de colores, bombones rellenos, huevos de gallina, diademas de reina, huellas de elefante, lágrimas de cocodrilo...

Todo caía sobre nosotros. Todo, menos Manuel, que seguía subiendo con aquel salto meteórico del que nunca bajó.

¿O sí?

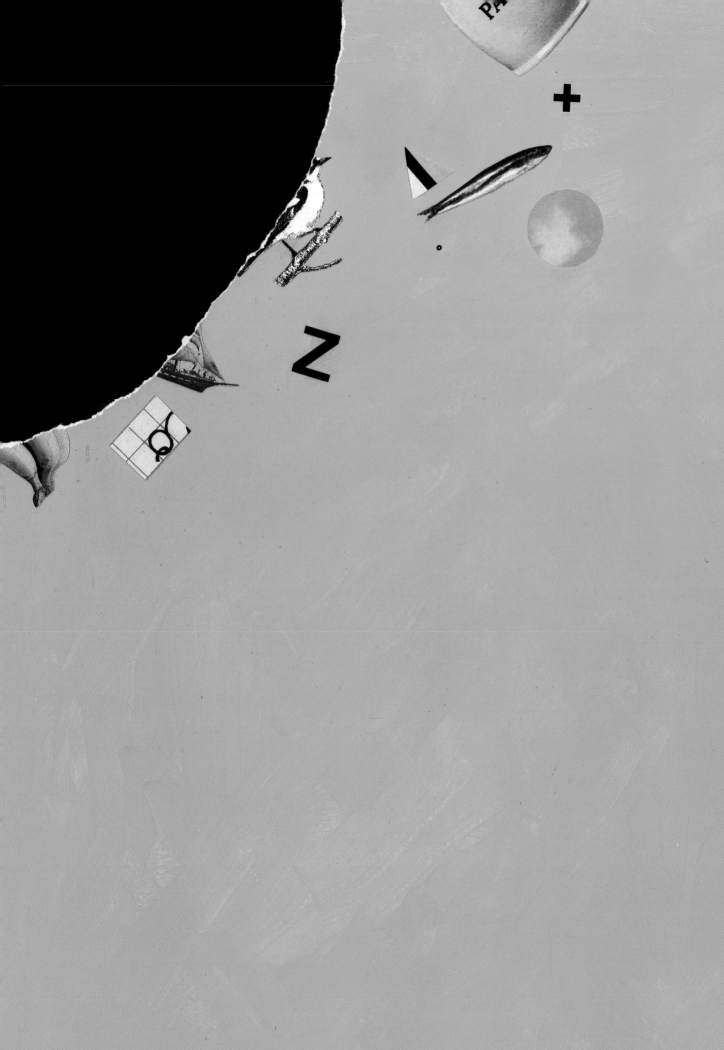